KB009683

노란 달빛 아래에서

글 신시아 라일런트 | 그림 수시 스티븐슨

HENRY AND MUDGE UNDER THE YELLOW MOON

헨리와 머지
노란 달빛 아래에서

초판 발행　2021년 1월 15일

글　신시아 라일런트
그림　수시 스티븐슨
번역및콘텐츠감수　정소이 박새미 유아름
콘텐츠제작참여　최선민 선생님(충남 보령 성주초) 김수정 선생님(경기 부천 부인초)
권재범 선생님(충남 계룡 금암초) 박은정 선생님
책임편집　정소이 박새미 김보경
디자인　모희정 김진영
저작권　김보경
마케팅　김보미 정경훈
펴낸이　이수영

펴낸곳　(주)롱테일북스
출판등록　제2015-000191호
주소　04043 서울특별시 마포구 양화로 12길 16-9(서교동) 북앤빌딩 3층
전자메일　helper@longtailbooks.co.kr

ISBN　979-11-86701-71-3 14740

롱테일북스는 (주)북하우스 퍼블리셔스의 계열사입니다.

이 도서의 국립중앙도서관 출판예정도서목록(CIP)은 서지정보유통지원시스템 홈페이지(http://seoji.nl.go.kr)와 국가자료종합목록 구축시스템(http://kolis-net.nl.go.kr)에서 이용하실 수 있습니다. (CIP 제어번호 : CIP2020053051)

Contents

본 워크북에 담긴 한국어 번역의 페이지는 영어 원서의 페이지와 최대한 동일하게 유지했습니다.
영어 원서를 읽다가 이해가 가지 않는 부분이 있다면, 워크북의 같은 페이지를 펼쳐 보세요! 궁금한 부분의 번역을 쉽게 확인할 수 있습니다.

영어 원서를 내용상 총 여섯 개의 파트로 나누어, 각 파트별로 다양한 액티비티를 담았습니다. 재미있게 영어 원서를 읽고 액티비티를 풀어 나가다 보면 영어 실력도 쑥쑥 향상될 것입니다!

부록으로 제공되는 MP3 CD에는 '듣기 훈련용 오디오북'과 '따라 읽기용 오디오북'의 두 가지 오디오북이 담겨 있습니다.
'듣기 훈련용 오디오북'은 미국 현지에서 제작되어 영어 원어민들을 대상으로 판매 중인 오디오북과 완전히 동일한 것입니다.
'따라 읽기용 오디오북'은 국내 영어 학습자들을 위해서 조금 더 천천히 녹음한 것으로 '듣기 훈련용 오디오북'의 빠른 속도가 어렵게 느껴지는 초보 학습자들에게 유용할 것입니다.

함께 보내는 가을

가을에,

헨리와 그의 큰 개 머지는

숲속에서 긴 산책을 했다.

헨리는 나무 꼭대기를

보는 것을 무척 좋아했다.

그는 나뭇잎들을 좋아했다.

주황색, 노란색, 갈색, 그리고 빨간색 나뭇잎들을.

머지는 땅 냄새를 맡는 것을 정말 좋아했다.

그리고 녀석은 또한, 나뭇잎들도 좋아했다.

녀석은 항상 나뭇잎 몇 장을 먹었다.

가을에,

헨리는 남쪽으로 날아가는 새들을

세는 것을 좋아했다.

머지는 바쁜 얼룩 다람쥐들을

지켜보는 것을 좋아했다.

하나는 남자아이였고
다른 하나는 개였기 때문에,
그들은 절대 같은 방식으로
행동하지 않았다.

헨리는 사과를 땄고
머지는 사과를 핥았다.

헨리는 외투를 입었고

머지는 외투로 삼을 털을 길렀다.

그리고 가을바람이 불면,

헨리의 귀는 빨개졌고

머지의 귀는

안쪽이 바깥쪽으로 뒤집어졌다.

하지만 그들에 대한 한 가지 사실은

같았다.

가을이 되면

무엇보다도,

헨리와 머지는

함께 있는 것을 좋아했다.

HENRY

노란 달빛 아래에서

헨리는 핼러윈을 좋아했다.

그는 호박 등을

만드는 것을 좋아했다.

그는 종이 박쥐를

만드는 것을 좋아했다.

그리고 무엇보다도

그는 변장하는 것을 좋아했다.

하지만 핼러윈에 대해서 헨리가 좋아하지 않는 것이
하나 있었다.
바로 유령 이야기였다.
그리고 헨리의 엄마는
유령 이야기를 하는 것을 무척 좋아했다.

매년 핼러윈마다

엄마는 자신의 마녀 모자를 쓰고,

초에 불을 붙이고,

유령 이야기를 했다.

엄마는 헨리가 그 이야기들을 좋아한다고 생각했는데

왜냐하면 헨리가 엄마에게

그것들을 좋아한다고 말했기 때문이었다.

하지만 사실 그는 그것들을 싫어했다.

그것들은 그를 무섭게 했다.

그는 엄마에게 그 사실을 말하기를 꺼렸다.

하지만 올해 헨리에게는 머지가 있었다.

머지는 그와 함께 있을 것이었다.

헨리는 유령 이야기를

무서워하지 않을 것이었다.

그래서 핼러윈 밤에

헨리의 엄마는 자신의 모자를 썼고

그녀의 초에 불을 켰다.

엄마는 헨리와 머지

그리고 헨리의 친구들 몇 명을 초대해

유령 이야기를 듣게 했다.

밖은 어두웠다.

하늘에는 커다란 노란색 달이 떠 있었다.

초들과

호박 등 하나를 제외하면,

집 안도 어두웠다.

헨리는 바닥에 있는

머지에게 가까이 다가갔다.

헨리의 엄마가 이야기를 시작했다.

먼저 엄마는 자신의 머리를 잃어버린

한 남자에 대한 이야기를 했다.

헨리는 몸을 떨었다.

그의 친구들도 몸을 떨었다.

그다음에 엄마는 묘지에 있는

고양이에 대한 이야기를 했다.

촛불이 벽면에 형상들을 만들어 냈다.

헨리는 몸을 더 세게 떨었다.

그다음에 헨리의 엄마는

누군가의 발을

찾아 나선

신발 한 켤레에 대해

이야기하기 시작했다.

그녀가 말하길, 그 신발은,

밤에만 밖으로 나왔다.

그리고 그 신발은 거리를 왔다갔다하며,

찾아다녔다.

"너희도 신발이 내는 소리를 들을 수 있을 거야."

그녀가 조용히 말했다.

"신발은 이렇게 소리를 냈지

딱... 딱... 딱... 딱."

헨리의 엄마는 바닥 위로

자신의 신발을 두드렸다.

"***딱... 딱... 딱.***"

그녀가 속삭였다.

하지만 그녀가 두드리는 것을 멈추었을 때,

헨리는 여전히 어떤 소리를 들었다.

방 안에서 나는 어떤 소리를.

노란 달 아래

방 안에서 나는 어떤 소리를.

헨리는 숨을 죽였다.

무언가가 소리를 냈다.

딱. . . 딱

딱. . . 딱.

하지만 더 빨랐다.

헨리의 온몸이 떨렸다.

그것은 마치 누군가가

점점 더 빠르게 걷는 것 같았다.

딱-딱-딱-딱-

딱-딱.

이것은 무슨 소리지?

헨리의 엄마가 몸을 숙였다.

"머지?" 그녀가 말했다.

엄마조차 머지가 필요하다니,

헨리는 엄마도, 무서워한다는 것을 알았다.

"머지?" 그녀가 다시 말했다.

딱딱거리는 소리가 더 커졌다.

신발이 오고 있어! 헨리는 생각했다.

그는 머지의 목에 자신의 머리를 묻었다.

이제 그 딱딱거리는 소리는 어느 때보다도 더 컸다.

"머지." 헨리의 엄마가 말했다.

"이빨을 딱딱거리는 것을 멈추렴."

이빨을 딱딱거린다고?

헨리는 자신의 귀를

머지의 입 가까이에 댔다.

그리고 머지의 이빨이 소리를 냈다.

딱-딱-딱-딱-

딱-딱.

그것은 신발 한 켤레에서 나는 소리가 아니었다!

바로 머지가 내는 소리였다!

그리고 녀석은

노란색 달과

어두운 방

그리고 마녀의 이야기들을

다른 누구보다도 더 무서워했다!

불쌍한 머지. 헨리는 생각했다.

헨리는 몸을 떠는 것을 멈추고

머지의 큰 머리 주위로

자신의 팔을 두르고

머지를 꼭 안아 주었다.

그리고 그들은

저절로 흔들리는

의자에 대한

다음 이야기를 들었다.

하지만 머지는 끝까지 쭉

딱딱거리는 소리를 냈다.

추수감사절 손님

11월에는,

항상 헨리의 이모 샐리가 왔다.

그녀는 추수감사절이 되기

일주일 전에 왔다.

그녀는 추수감사절이 지나고

일주일 후에 떠났다.

그게 바로 헨리가 추수감사절을

좋아하지 않는 이유였다.

왜냐하면 헨리는 샐리 이모를

좋아하지 않기 때문이었다.

이모는 말을 너무 많이 해.

헨리는 생각했다.

이모는 너무 많이 먹어.

헨리는 생각했다.

이모는 TV를 독차지해.

헨리는 생각했다.

헨리는 샐리 이모가

그녀의 집에 머무르길 바랐다.

샐리 이모는 아직

헨리의 개 머지를 본 적이 없었다.

이모는 개들을 싫어할 게 분명해.

헨리는 생각했다.

오, 샐리 이모가 그녀의 집에 머무르기를

그가 얼마나 원했는지.

하지만 그녀는 그러지 않았다.

이모는 추수감사절이 되기

일주일 전에,

딱 맞춰서 왔다.

샐리 이모가

헨리의 집으로 들어왔다.

이모는

말하고 또 말하고 또 말하고 있었다.

그녀는 헨리의 아빠와 함께

부엌으로

곧장 들어갔다.

샐리 이모가

부엌에서 무엇을 하고 있을지

헨리는 알고 있었다.

헨리는 머지를 찾으러

뒷마당으로 갔다.

마침내, 샐리 이모가

말하고 먹는 것을 끝냈을 것이라고

헨리는 생각했다.

그래서 그는 머지와 함께

다시 안으로 들어왔다.

그들은 부엌으로 걸어 들어갔다.

샐리 이모는 여전히 먹고 있었다.

"*맙소사!*" 그녀가 외쳤다.

헨리와 머지는 뒤로 물러났다.

이모가 개들을 싫어할 줄 알았어.

헨리는 생각했다.

샐리 이모는 머지를 바라보았다.

"*맙소사!*" 그녀가 다시 말했다.

하지만 그때,

그녀는 자신의 접시에서

크래커 한 개를 집어 들었다.

그녀는 그것을 머지에게 던졌다.

탁! 머지의 입에서 소리가 났다.

그리고 크래커는 사라졌다.

헨리는 머지를 바라보았다.

헨리는 샐리 이모를 바라보았다.

“훌륭한 개로구나.” 샐리 이모가 말했다.

그녀는 크래커를 자신의 입에 넣었다.

“하나 줄까?” 그녀가 헨리에게 물었다.

“물론이죠.” 헨리가 말했다.

그는 샐리 이모와 함께 앉았다.

이모는 여전히 너무 많이 먹었다.

이모는 여전히 말을 너무 많이 했다.

하지만 이번에 그녀가 하는 이야기는 모두

머지에 관한 것이었다.

그리고 *그것이* 달랐다.

샐리 이모는 머지의 다정한 눈에 대해

이야기했다.

그녀는 머지의 단단한 가슴에 대해

이야기했다.

그녀는 머지의 부드러운 털에 대해

이야기했다.

그녀는 머지의 바른 태도에 대해

이야기했다.

그리고 그녀는 머지에게

많은 크래커들을 먹였다.

올해, 헨리는,

자신이 추수감사절을

좋아하게 될 것임을 알았다.

올해, 헨리는,

정말로 고마움을 느낄 일이

생겼다는 것을 알았다!

Activities

영어 원서를 총 여섯 개의 파트로 나누어,
각 파트별로 다양한 액티비티를 담았습니다.

각 파트의 영어 원서 페이지는 롱테일북스에서 출간된
'롱테일 에디션'을 기준으로 합니다!
수입 원서와는 페이지 구성에 차이가 있으니 참고하세요.

VOCABULARY

가을

fall

숲

woods

꼭대기, 윗면

top

나무

tree

나뭇잎 (복수형 leaves)

leaf

주황색의

orange

노란색의

yellow

갈색의

brown

빨간색의

red

땅

ground

조금

a few

세다

count

날다

fly

남쪽으로

south

보다

watch

얼룩 다람쥐

chipmunk

바람

wind

함께

together

VOCABULARY QUIZ

1 그림에 맞는 단어를 퍼즐에서 찾아 표시하고 단어를 써 보세요.

f	a	f	n	s	q	k	z	h	z	u
w	r	a	x	u	f	r	n	l	m	y
t	y	l	f	w	o	o	d	s	r	e
o	p	l	d	d	e	z	f	o	p	l
p	k	s	a	q	q	f	s	x	b	l
d	j	b	c	u	f	o	n	t	m	o
h	c	h	i	p	m	u	n	k	p	w
a	d	k	z	c	u	a	w	s	g	n
n	w	b	r	o	w	n	v	i	k	t
r	f	e	z	k	e	g	u	v	z	q
t	r	e	e	r	s	e	s	r	e	d

fall

2 그림에 맞는 단어를 연결하고 빈칸에 알맞은 알파벳을 넣어 보세요.

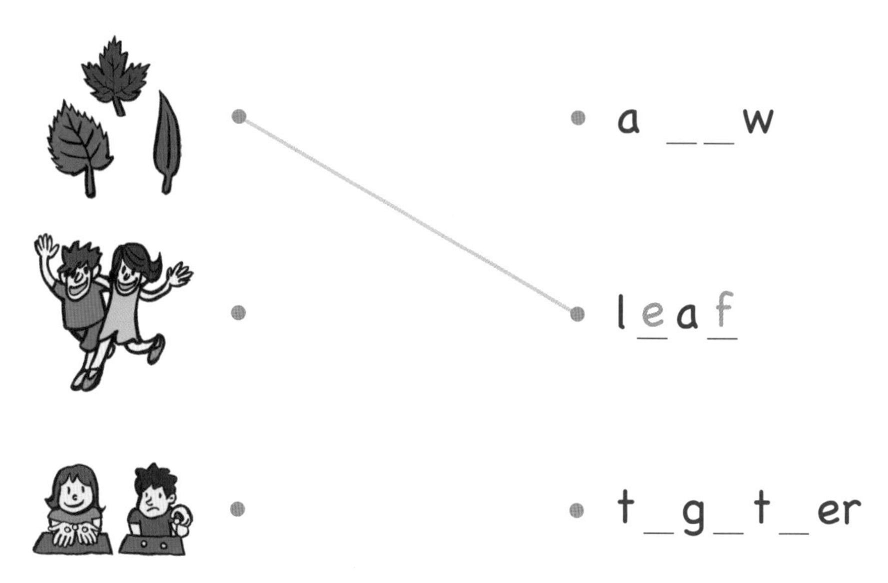

3 글자를 바르게 배열하여 단어를 완성해 보세요.

a r n e o g	o w o d s	u t o c n	u g n r o d
orange			

t u s o h	d w n i	y f l	w t c a h

WRAP-UP QUIZ

1 이야기의 순서에 맞게 그림을 배열해 보세요.

a

Henry loved counting the birds in the sky.

b

Mudge liked sniffing at the ground in the fall.

c

In the wind, Mudge's ears turned inside out.

d

Henry and Mudge liked spending time together in the fall.

→  →  → 

2 다음 질문에 알맞은 답을 선택해 보세요.

1) What did Henry and Mudge do in the fall?

a. They stayed inside their house.

b. They jumped into the leaves.

c. They took a long walk in the woods.

2) What happened to Mudge when Henry put on a coat?

a. Mudge grew a coat.

b. Mudge was put in dog clothes.

c. Mudge got a new collar.

3) What did Henry and Mudge like doing together?

a. They liked eating apples.

b. They liked just being together.

c. They liked running through the woods.

3 책의 내용과 일치하면 T, 그렇지 않으면 F를 적어 보세요.

1) Henry picked apples and Mudge licked them. ____

2) Henry and Mudge did everything the same way. ____

3) Mudge's ears turned upside down. ____

유용한 영어 표현

Henry **liked** counting the birds.
헨리는 새들을 세는 것을 좋아했다.

Henry **loved** looking at the top of the trees.
헨리는 나무 꼭대기를 보는 것을 무척 좋아했다.

헨리는 가을에 나무 꼭대기를 보는 것과 남쪽으로 날아가는 새들을 세는 것을 좋아했어요. 이렇게 **"~하는 것을 좋아하다"**라고 말할 때는 like나 love를 먼저 쓰고, 동작을 나타내는 표현에 ing를 붙여서 함께 써요.

like + [동작]ing: ~하는 것을 좋아하다
love + [동작]ing: ~하는 것을 (무척) 좋아하다

My cats **like** sleeping with me.
내 고양이들은 나와 함께 자는 것을 좋아한다.

My father **liked** cooking on Sundays.
내 아버지는 일요일에 요리하는 것을 좋아했다.

The students **love** reading books in the library.
그 학생들은 도서관에서 책 읽는 것을 무척 좋아한다.

My sister **loved** going out with friends.
내 여동생은 친구들과 함께 외출하는 것을 정말 좋아했다.

우리말과 뜻이 통하도록 네모 안에 들어 있는 말을 바르게 배열해 보세요.

1. 나는 공원에서 달리는 것을 정말 좋아한다.

in the park	I	running	love
공원에서	나	달리는 것	정말 좋아하다

I love ______________________.

2. 그들은 강아지들과 함께 노는 것을 좋아한다.

they	playing	like	with puppies
그들	노는 것	좋아하다	강아지들과 함께

______________________.

3. 내 어머니는 정원 가꾸는 것을 좋아했다.

liked	my mother	gardening
좋아했다	내 어머니	정원 가꾸는 것

______________________.

4. 우리는 자전거 타는 것을 무척 좋아했다.

bicycles	loved	we	riding
자전거	무척 좋아했다	우리	타는 것

______________________.

꼭 기억하세요

like / love + 동작ing는 like to / love to + 동작으로 쓸 수 있어요.

I like reading books.
= I like to read books.
나는 책을 읽는 것을 좋아한다.

I love painting.
= I love to paint.
나는 그림 그리는 것을 정말 좋아한다.

VOCABULARY

햄러윈

Halloween

만들다

make

호박으로 만든 등

jack-o'-lantern

종이

paper

박쥐

bat

변장하다, 차려입다

dress up

유령

ghost

이야기 (복수형 stories)

story

말하다

tell

마녀

witch

초

candle

겁주다

scare

밤

night

듣다

listen

어두운

dark

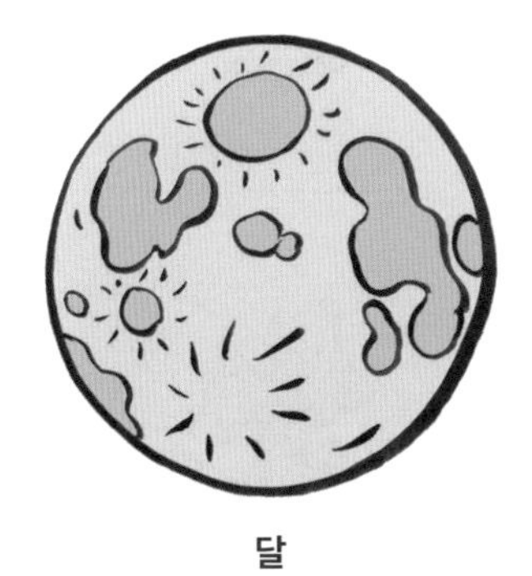

달

moon

하늘

sky

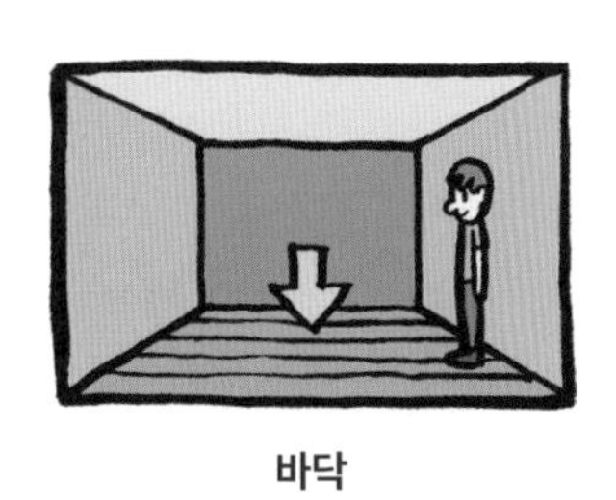

바닥

floor

VOCABULARY QUIZ

1 알파벳을 연결해서 단어를 만들고, 알맞은 그림과 연결해 보세요.

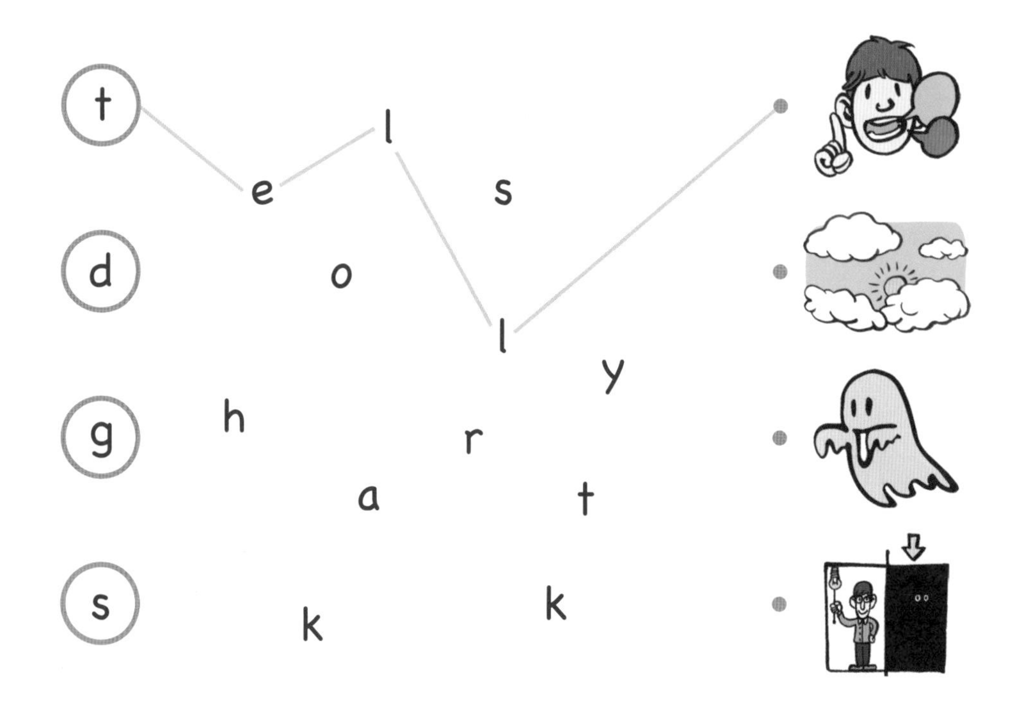

2 빈칸에 알맞은 알파벳을 넣어 단어를 완성해 보세요.

3 그림을 보고 알맞은 단어를 넣어 퍼즐을 완성해 보세요.

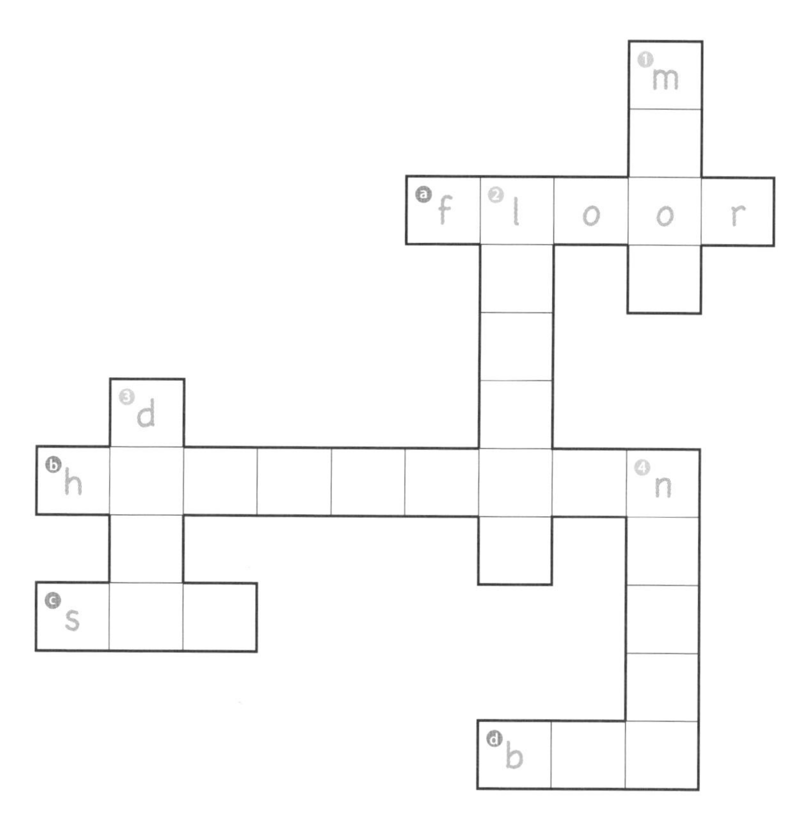

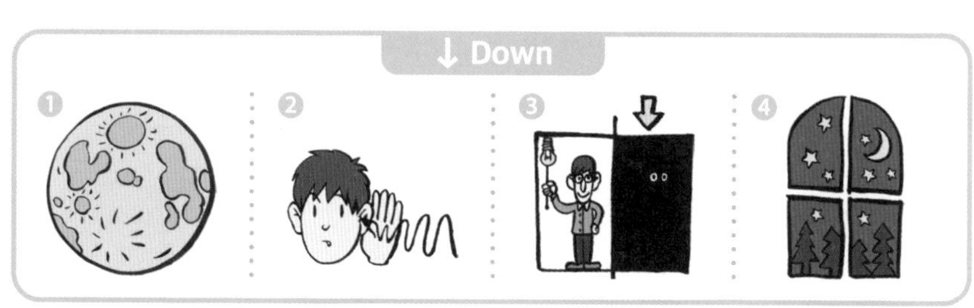

WRAP-UP QUIZ

1 이야기의 순서에 맞게 그림을 배열해 보세요.

a

Henry's mother began telling the ghost stories.

b

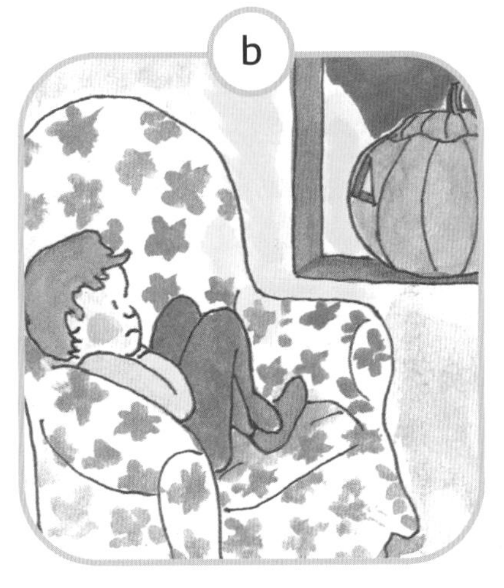

Henry hated listening to the ghost stories.

c

Henry was afraid to say that he did not like the ghost stories.

d

Henry loved almost everything about Halloween.

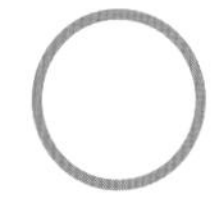 ···▸  ···▸  ···▸ 

2 다음 질문에 알맞은 답을 선택해 보세요.

1) What did Henry NOT love to do?

a. He did not love to make jack-o'-lanterns.

b. He did not love to dress up.

c. He did not love to listen to ghost stories.

2) Why did Henry's mother think Henry liked the ghost stories?

a. He told her that he liked them.

b. He was fond of a ghost.

c. He liked all kinds of stories.

3) Why was Henry NOT afraid of the ghost stories this year?

a. Henry had a jack-o'-lantern.

b. Henry had his friends.

c. Henry had Mudge.

3 책의 내용과 일치하면 **T**, 그렇지 않으면 **F**를 적어 보세요.

1) Henry's mother loved to tell the ghost stories. ____

2) Henry's mother knew Henry hated the ghost stories. ____

3) Henry's mother dressed up like an angel. ____

PATTERN DRILL

유용한 영어 표현

Henry **was afraid to** tell her the truth.
헨리는 엄마에게 그 사실을 말하기를 꺼렸다.

Henry would not **be afraid of** the ghost stories.
헨리는 유령이야기를 무서워하지 않을 것이었다.

즐거운 핼러윈이지만, 헨리는 유령 이야기도 무섭고, 엄마에게 솔직하게 말하는 것도 두려워했어요. 이렇게 **"~하는 것을 두려워하다"**라고 말할 때는 be afraid to 다음에 동작을 나타내는 표현을 써서 나타낼 수 있어요. be afraid of 다음에 사람, 사물, 장소 등 두려워하는 대상을 쓰면 **"~을 두려워하다"**라는 뜻이 돼요.

be afraid to + [동작]: ~하는 것을 두려워하다
be afraid of + [대상]: ~을 두려워하다

He **was afraid to** fail.
그는 실패하는 것을 두려워했다.

I **am afraid to** ride roller coasters.
나는 롤러 코스터 타는 것을 두려워한다.

Some people **are afraid of** heights.
어떤 사람들은 높은 곳을 두려워한다.

The children **were afraid of** the dark.
그 아이들은 어둠을 두려워했다.

우리말과 뜻이 통하도록 네모 안에 들어 있는 말을 바르게 배열해 보세요.

1. 나는 집에 혼자 있는 것을 두려워했다.

I 나	stay alone 혼자 있다	was afraid to ~하는 것을 두려워했다	at home 집에

I was afraid to ________________________________.

2. 어떤 아이들은 그들의 실수를 인정하는 것을 두려워한다.

some children 어떤 아이들	admit 인정하다	are afraid to ~하는 것을 두려워하다	their mistakes 그들의 실수

____.

3. 내 친구들과 나는 개들을 두려워한다.

are afraid of ~을 두려워하다	dogs 개들	my friends and I 내 친구들과 나

____.

4. 내 어머니는 거미들을 두려워했다.

spiders 거미들	was afraid of ~을 두려워했다	my mother 내 어머니

____.

5. 그녀는 지하실에 내려가는 것을 두려워했다.

was afraid to ~하는 것을 두려워했다	to the basement 지하실에	she 그녀	go down 내려가다

____.

VOCABULARY

먼저; 첫 번째의

first

남자

man

머리

head

고양이

cat

묘지

graveyard

벽

wall

신발

shoe

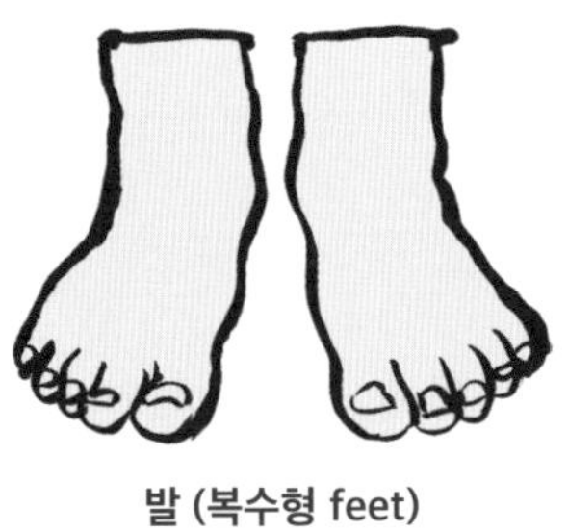

발 (복수형 feet)

foot

걷다

walk

거리

street

(발로) 두드리다 (과거형 tapped)

tap

방

room

~아래에

under

노란색의

yellow

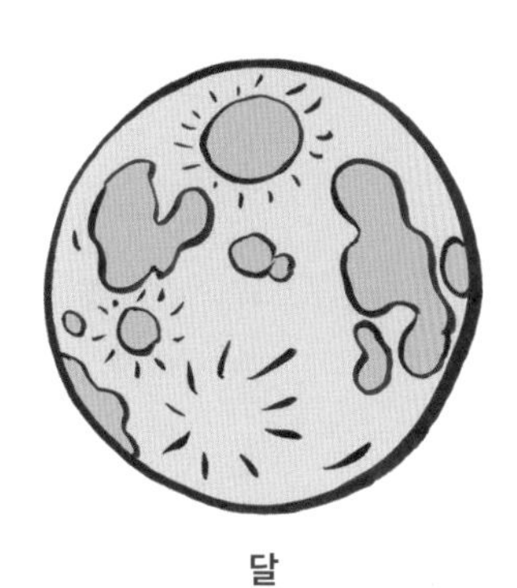

달

moon

숨

breath

전체의

whole

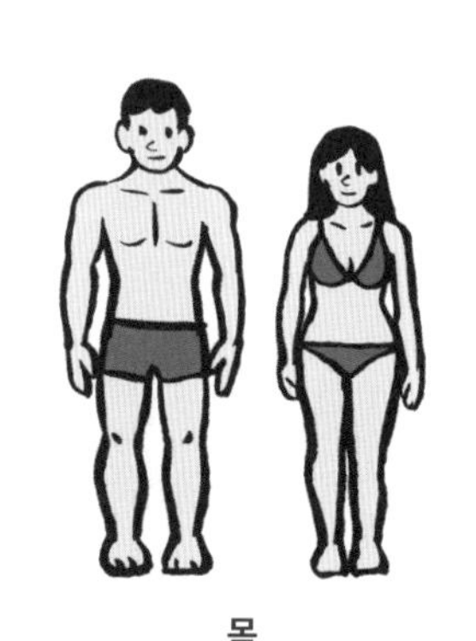

몸

body

VOCABULARY QUIZ

1 그림에 맞는 단어를 퍼즐에서 찾아 표시하고 단어를 써 보세요.

q	a	a	k	r	k	j	w	z	i	q
h	a	u	c	o	l	d	c	a	q	f
e	d	a	a	o	a	q	j	r	s	l
a	f	g	s	m	a	n	t	p	h	h
d	r	c	d	h	k	z	o	k	o	t
g	t	a	r	q	i	j	n	c	e	e
w	o	t	i	y	g	h	f	i	r	h
y	y	b	e	s	t	r	e	e	t	h
w	a	l	l	j	j	o	o	n	a	j
u	q	b	o	k	v	p	f	u	y	w
l	p	l	d	k	f	i	r	s	t	m

2 그림에 맞는 단어를 연결하고 빈칸에 알맞은 알파벳을 넣어 보세요.

• • y _ l _ _ w

• • un _ _ r

• • g _ _ _ _ _ yard

3 글자를 바르게 배열하여 단어를 완성해 보세요.

e e r s t t

____

m n o o

____

l a k w

____

e w l o h

____

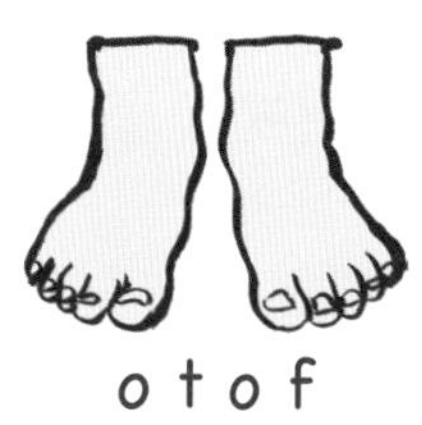

o t o f

____

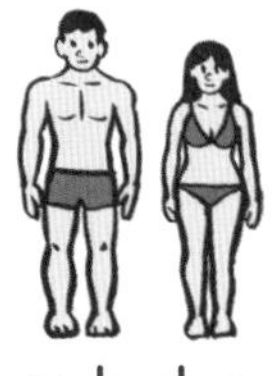

y b d o

____

t b e h a r

____

p t a

____

1 이야기의 순서에 맞게 그림을 배열해 보세요.

a

Henry's mother told a scary story about a cat.

b

After Henry's mother stopped, Henry could still hear the sound.

c

Henry's mother tapped her feet on the floor to make a sound.

d

Henry's mother told a story about a pair of shoes.

 ···▸  ···▸  ···▸ 

2 다음 질문에 알맞은 답을 선택해 보세요.

1) Which was the first story that Henry's mother told?

a. A story about a headless man

b. A story about a cat in a graveyard

c. A story about a pair of shoes

2) What did the pair of shoes look for?

a. Someone's head

b. Someone's hands

c. Someone's feet

3) What happened when Henry's mother stopped tapping?

a. Henry still heard something.

b. Henry drank a bottle of water.

c. Henry fell asleep.

3 책의 내용과 일치하면 T, 그렇지 않으면 F를 적어 보세요.

1) Henry did not shake while listening to the stories. ____

2) In the story, the pair of shoes came out only at night. ____

3) Henry's mother tapped her own shoes on the floor. ____

PATTERN DRILL

유용한 영어 표현

The shoes **looked for** someone's feet.
신발은 누군가의 발을 찾았다.

헨리의 엄마가 들려준 무서운 신발 이야기! 누군가의 발을 찾는 신발처럼 **"~을 찾다"** 라고 말할 때는 **look for** 다음에 사람, 사물, 장소 등의 대상을 써요. 여러 가지 대상을 활용해서 연습해 보세요!

look for + [대상]: ~을 찾다

I **look for** my socks.
나는 내 양말을 찾는다.

They **look for** the word in the dictionary.
그들은 사전에서 그 단어를 찾는다.

I **looked for** a present for my aunt.
나는 내 이모를 위한 선물을 찾았다.

We **looked for** our bicycles.
우리는 우리의 자전거들을 찾았다.

우리말과 뜻이 통하도록 네모 안에 들어 있는 말을 바르게 배열해 보세요.

1. 너의 어머니가 어제 너를 찾았다.

you 너	your mother 너의 어머니	looked for ~을 찾았다	yesterday 어제

Your mother looked for ______________________.

2. 그는 핼러윈 의상을 찾았다.

a Halloween costume 핼러윈 의상	looked for ~을 찾았다	he 그

______________________.

3. 그 아이들은 간식을 찾는다.

look for ~을 찾다	the children 그 아이들	snacks 간식

______________________.

4. 그 여자아이는 그녀의 안경을 찾았다.

looked for ~을 찾았다	the girl 그 여자아이	her glasses 그녀의 안경

______________________.

5. 그들은 마당에서 예쁜 꽃들을 찾는다.

they 그들	pretty flowers 예쁜 꽃들	in the yard 마당에서	look for ~을 찾다

______________________.

VOCABULARY

어머니

mother

(몸을) 숙이다 (과거형 bent)

bend

겁먹은

scared

머리

head

목

neck

딸칵 하는 소리를 내다

click

이를 딱딱 맞부딪치다

chatter

가까이

near

입

mouth

이, 치아 (복수형 teeth)

tooth

노란색의

yellow

어두운

dark

방

room

마녀

witch

불쌍한

poor

팔

arm

의자

chair

흔들리다; 바위

rock

VOCABULARY QUIZ

1 알파벳을 연결해서 단어를 만들고, 알맞은 그림과 연결해 보세요.

(n) e k

(b) e c d n

(d) a k o

(r) o m r

2 빈칸에 알맞은 알파벳을 넣어 단어를 완성해 보세요.

ch _ _ t _ r   a _ _   r _ o _   c _ _ _ k

m _ _ _ er   ch _ _ r   p _ _ _   r _ _ _

3 그림을 보고 알맞은 단어를 넣어 퍼즐을 완성해 보세요.

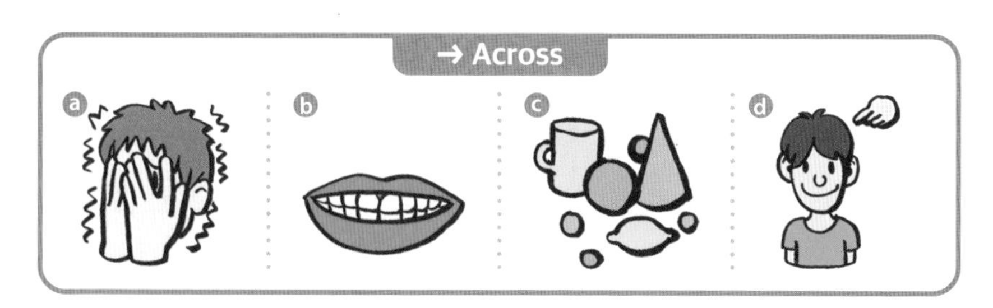

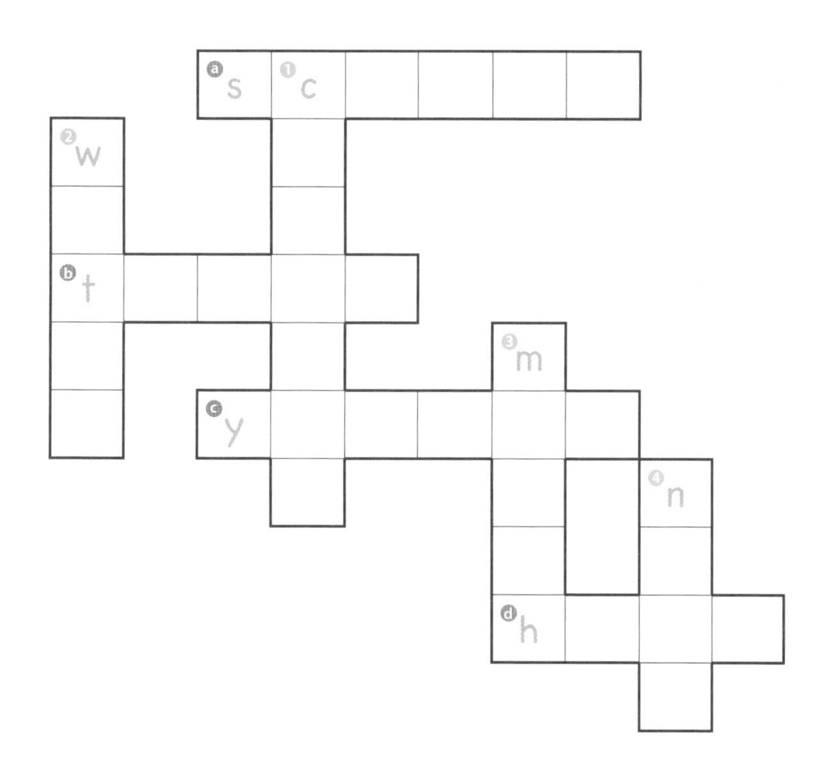

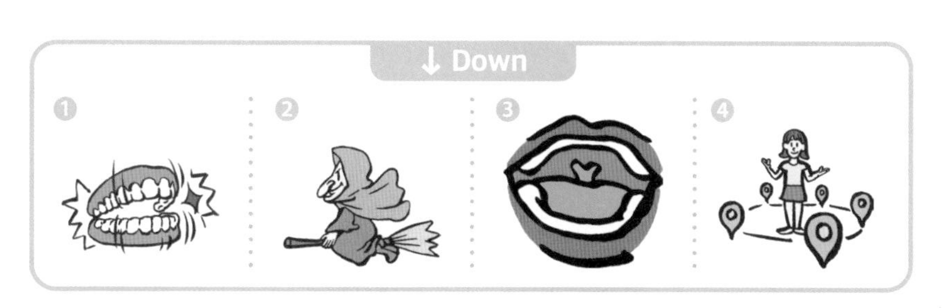

1 이야기의 순서에 맞게 그림을 배열해 보세요.

a

Henry held Mudge to comfort him.

b

Henry found that the clicking sound was coming from Mudge.

c

Henry's mother called Mudge's name.

d

Henry was so scared that he put his head in Mudge's neck.

 ···▸  ···▸  ···▸ 

2 다음 질문에 알맞은 답을 선택해 보세요.

1) What did Henry think when his mother called Mudge?

a. That she was so scared that she needed Mudge

b. That she was so angry at Mudge

c. That she was so sad to see Mudge droop

2) What did Henry think when the clicking got louder?

a. That one of his friends made that sound

b. That his mother was good at tapping her feet

c. That the shoes were coming

3) Why did Mudge click his teeth?

a. Mudge tried to be awake during the story time.

b. Mudge was scared of the dark room and the stories.

c. Mudge was bored with staying inside.

3 책의 내용과 일치하면 T, 그렇지 않으면 F를 적어 보세요.

1) Henry's mother told Henry to stop chattering. ____

2) Mudge was not scared of the yellow moon. ____

3) Henry made noise all the way to the end. ____

유용한 영어 표현

Mudge was scared of the stories.
머지는 그 이야기들을 무서워했다.

머지는 유령 이야기에 정말 겁을 먹고 무서워했어요. 이처럼 **"~을 무서워하다"**라고 말할 때는 be scared of 다음에 사람, 사물, 장소 등 무서운 대상을 써요. 앞에서 공부한 be afraid of와 비슷해요.

be scared of + [대상]: ~을 무서워하다

I am scared of dentists.
나는 치과를 무서워한다.

Some children are scared of monsters.
어떤 아이들은 괴물을 무서워한다.

She was scared of blood.
그녀는 피를 무서워했다.

The students were scared of their math teacher.
그 학생들은 그들의 수학 선생님을 무서워했다.

우리말과 뜻이 통하도록 네모 안에 들어 있는 말을 바르게 배열해 보세요.

1. 코끼리들은 개미들을 무서워한다.

ants 개미들	are scared of ~을 무서워하다	elephants 코끼리들

Elephants are scared of ______________________.

2. 헨리는 유령들을 무서워했다.

Henry 헨리	ghosts 유령들	was scared of ~을 무서워했다

______________________.

3. 내 개는 천둥을 무서워했다.

thunder 천둥	my dog 내 개	was scared of ~을 무서워했다

______________________.

4. 그들은 공포영화들을 무서워한다.

horror movies 공포영화들	they 그들	are scared of ~을 무서워하다

______________________.

5. 나는 어두운 장소들을 무서워한다.

am scared of ~을 무서워하다	dark places 어두운 장소들	I 나

______________________.

VOCABULARY

고모, 이모, 숙모

aunt

추수감사절

Thanksgiving

말하다

talk

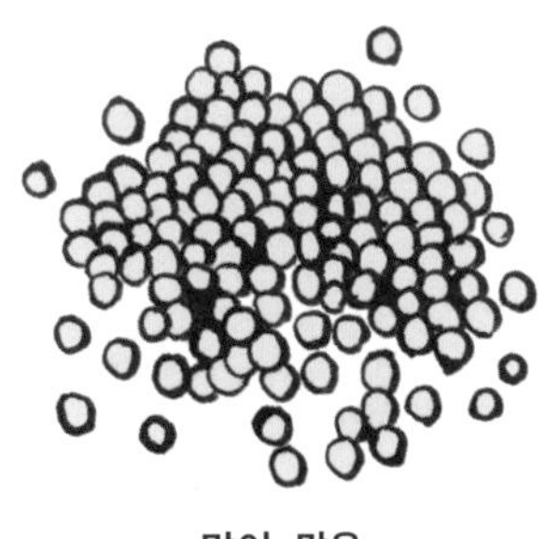

많이; 많음

much

먹다

eat

독차지하다

hog

싫어하다

hate

바라다; 소원

wish

머무르다, 가만히 있다

stay

집, 가정

home

집, 주택

house

부엌

kitchen

아버지

father

무엇

what

뒷마당

backyard

찾다

find

끝내다

finish

~와 함께

with

VOCABULARY QUIZ

1 그림에 맞는 단어를 퍼즐에서 찾아 표시하고 단어를 써 보세요.

w	j	x	h	b	i	m	q	e	a	t
i	j	j	o	j	m	n	k	w	f	a
s	x	h	m	l	w	a	i	y	m	z
h	y	y	e	r	k	t	t	m	g	l
b	x	k	y	c	q	x	c	g	o	z
y	z	s	t	a	y	z	h	p	n	f
m	m	e	h	c	d	h	e	h	u	a
l	t	a	l	k	u	b	n	f	i	t
s	i	f	w	m	w	q	o	y	x	h
p	g	i	q	j	b	z	a	o	z	e
p	h	o	g	u	g	l	v	w	z	r

2 그림에 맞는 단어를 연결하고 빈칸에 알맞은 알파벳을 넣어 보세요.

• f _ _ d

• Tha _ _ sg _ ving

• f _ _ i _ _

3 글자를 바르게 배열하여 단어를 완성해 보세요.

			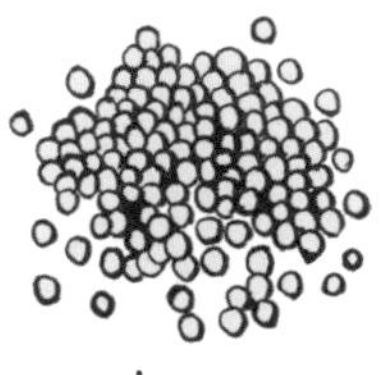
n u t a	e a h t	a t h w	c h m u

e h s o u	t h w i	k a d c a r y b	t k a l

1 이야기의 순서에 맞게 그림을 배열해 보세요.

a

Aunt Sally talked a lot with Henry's father in the kitchen.

b

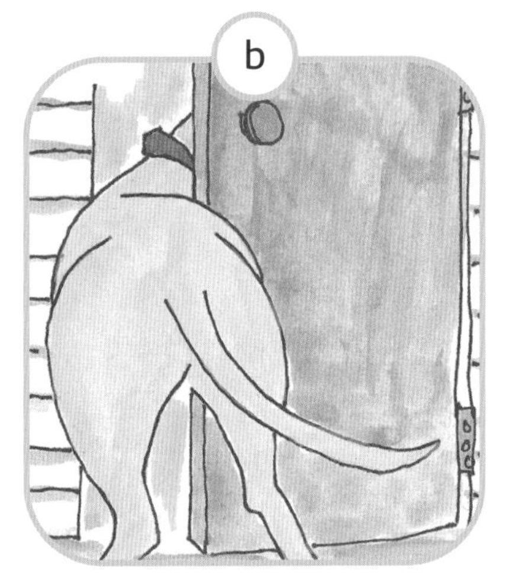

Henry took Mudge back to the house.

c

Aunt Sally came to Henry's house this Thanksgiving, too.

d

Henry did not like Thanksgiving because of Aunt Sally.

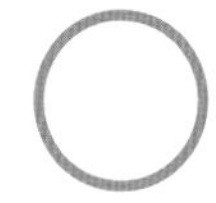      

2 다음 질문에 알맞은 답을 선택해 보세요.

1) When did Aunt Sally always come to Henry's house?

a. In December

b. In November

c. In October

2) Why did Henry NOT like Thanksgiving?

a. Aunt Sally visited Henry during Thanksgiving.

b. Henry could not play with Mudge during Thanksgiving.

c. Henry did not like eating turkey at Thanksgiving.

3) What did Henry wish?

a. He wished Aunt Sally would bring him presents.

b. He wished Aunt Sally would stay home.

c. He wished Aunt Sally would eat turkey for him.

3 책의 내용과 일치하면 T, 그렇지 않으면 F를 적어 보세요.

1) Henry did not like Aunt Sally. ____

2) Aunt Sally came one week after Thanksgiving. ____

3) Aunt Sally went into the kitchen with Henry's mother. ____

PATTERN DRILL

유용한 영어 표현

She came one week **before** Thanksgiving.
그녀는 추수감사절이 되기 일주일 전에 왔다.

She left one week **after** Thanksgiving.
그녀는 추수감사절이 지나고 일주일 후에 떠났다.

샐리 이모는 언제나 추수감사절이 되기 전에 왔다가 추수감사절이 지난 뒤에 돌아갔어요. 이렇게 before 또는 after를 써서 언제 어떤 일이 일어났는지 말할 수 있어요. **"~ 전에"**라고 말할 때는 before를, **"~ 후에"**라고 말할 때는 after를 쓰고 그 다음에 시간이나 사건을 나타내는 말을 써요.

before + [시간/사건]: ~ 전에
after + [시간/사건]: ~ 후에

I finished my homework **before** dinner.
나는 저녁 식사 전에 숙제를 끝냈다.

My father came home **before** 6 o'clock.
아빠는 6시 전에 집에 오셨다.

I took a shower **after** 8 in the morning.
나는 아침 8시 이후에 샤워를 했다.

My friend and I played soccer **after** school.
내 친구와 나는 학교 수업 후에 축구를 했다.

우리말과 뜻이 통하도록 네모 안에 들어 있는 말을 바르게 배열해 보세요.

1. 나는 아침 식사 후에 양치질했다.

breakfast 아침 식사	I 나	after ~ 후에	brushed my teeth 양치질했다

I brushed my teeth ______________________________.

2. 우리는 학교 수업 후에 농구를 했다.

school 학교 수업	after ~ 후에	we 우리	basketball 농구	played (경기를) 했다

______________________________.

3. 내 친구는 크리스마스 전에 선물을 받았다.

Christmas 크리스마스	my friend 내 친구	got 받았다	a present 선물	before ~ 전에

______________________________.

4. 그는 운동 전에 몸을 풀었다.

before ~ 전에	warmed up 몸을 풀었다	the workout 운동	he 그

______________________________.

5. 우리는 한 시간 뒤에 역으로 갔다.

we 우리	an hour 한 시간	went 갔다	to the station 역으로	after ~ 후에

______________________________.

VOCABULARY

걷다

walk

먹다

eat

소리치다

yell

발을 내디디다 (과거형 stepped)

step

뒤로; 등

back

크래커

cracker

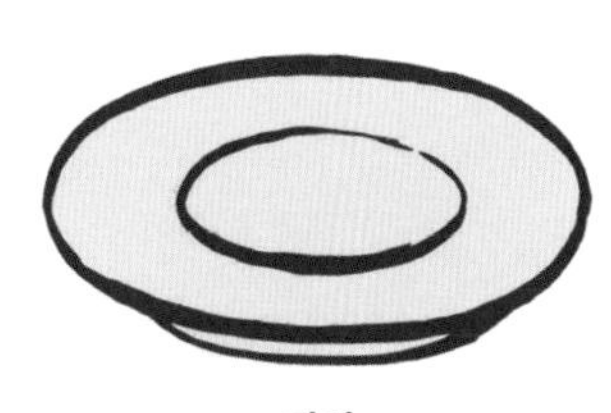

접시

plate

입

mouth

훌륭한

great

원하다

want

묻다

ask

다른

different

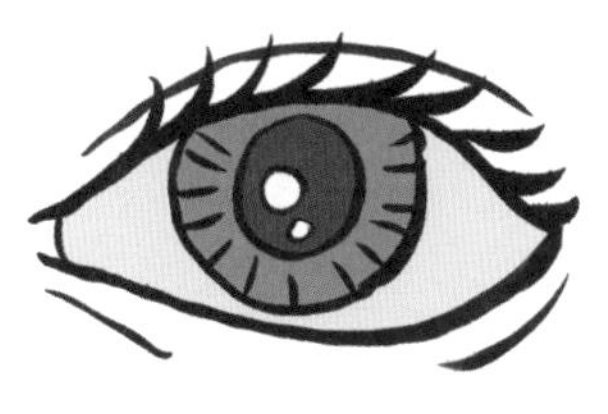

눈

eye

강한

strong

가슴

chest

부드러운

soft

털

fur

예의

manners

VOCABULARY QUIZ

1 알파벳을 연결해서 단어를 만들고, 알맞은 그림과 연결해 보세요.

2 빈칸에 알맞은 알파벳을 넣어 단어를 완성해 보세요.

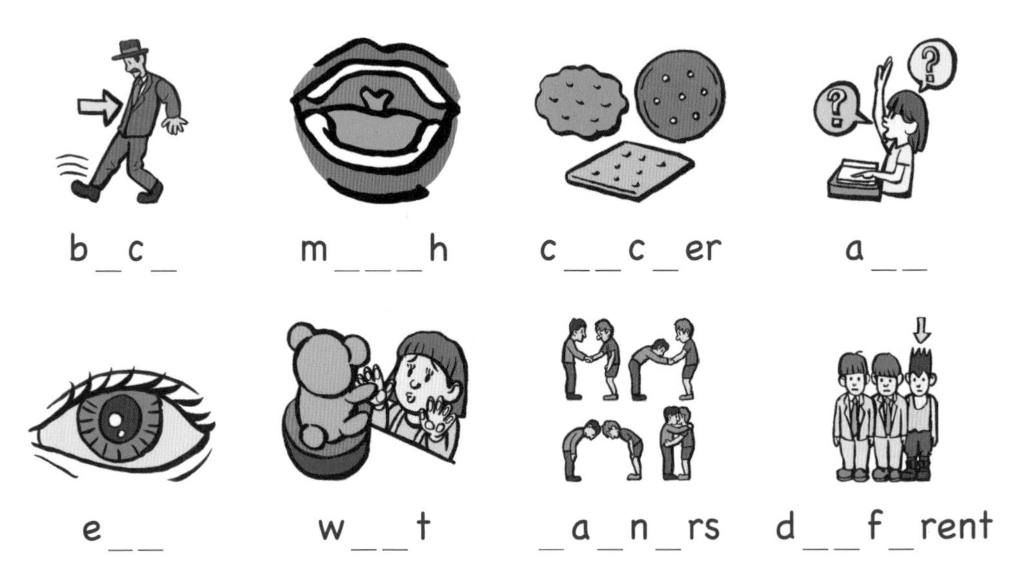

3 그림을 보고 알맞은 단어를 넣어 퍼즐을 완성해 보세요.

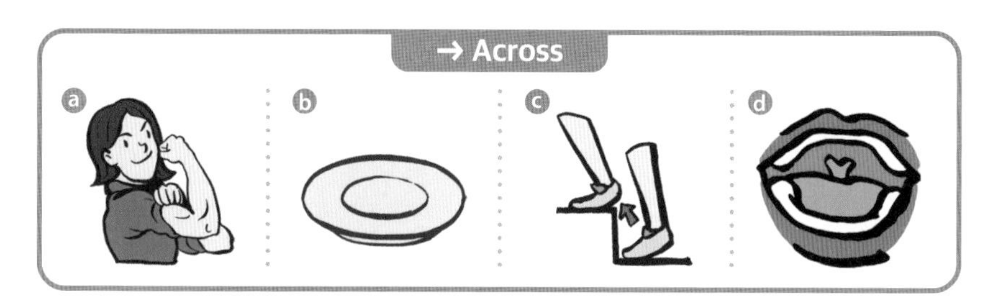

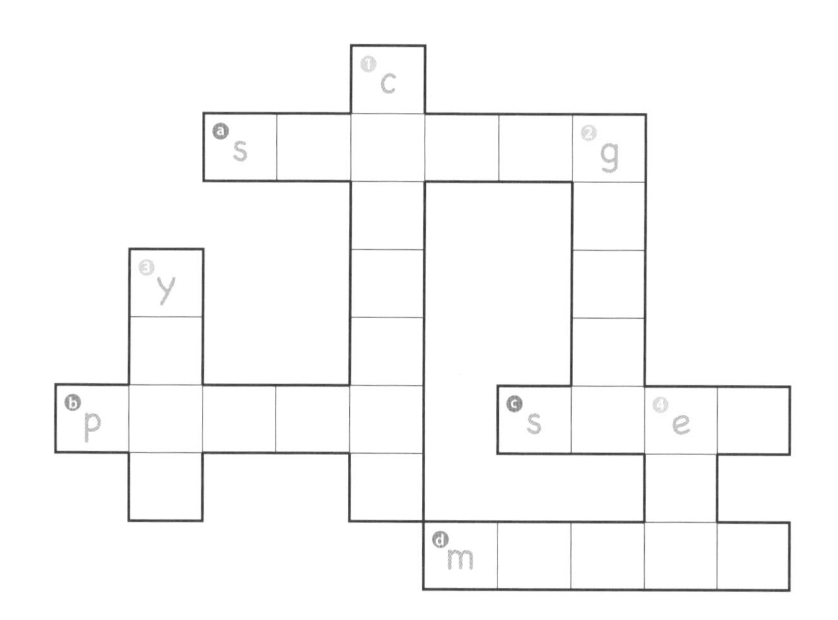

1 이야기의 순서에 맞게 그림을 배열해 보세요.

a

Aunt Sally was surprised to see Henry and Mudge.

b

Aunt Sally shared crackers with Mudge as well as Henry.

c

Henry thought that Aunt Sally would hate dogs.

d

Henry was thankful that Aunt Sally liked Mudge.

 ···▸  ···▸  ···▸ 

2 다음 질문에 알맞은 답을 선택해 보세요.

1) What was Aunt Sally doing when Henry and Mudge walked into the kitchen?

a. She was talking with Henry's mother.

b. She was eating.

c. She was baking a pie.

2) What did Aunt Sally throw to Mudge?

a. A cracker

b. A piece of paper

c. A ball

3) What did Aunt Sally talk about?

a. Henry

b. Thanksgiving

c. Mudge

3 책의 내용과 일치하면 T, 그렇지 않으면 F를 적어 보세요.

1) Aunt Sally did not talk as much as she used to. ____

2) Aunt Sally fed Mudge lots of crackers. ____

3) Henry was going to like Thanksgiving this year. ____

PATTERN DRILL

유용한 영어 표현

Henry had something to be thankful for.
헨리에게 고마움을 느낄 일이 생겼다.

머지 덕분에 샐리 이모와 친해진 헨리. 올해 추수감사절에는 고마움을 느낄 것이 있다고 생각하게 되었네요. 이렇게 **"~할 것이 있다"**라고 말할 때는 have something to 다음에 동작을 나타내는 표현을 원래 모습 그대로 써요.

have something to + [동작]: ~할 것이 있다

I **have something to** tell you.
나는 너에게 말할 것이 있다.

They **have something to** be proud of.
그들은 자랑스러워할 것이 있다.

He **had something to** give his teacher.
그는 그의 선생님에게 드릴 것이 있었다.
* 지나간 일에 대해 말할 때 have는 had로 변해요.

We **had something to** make it better.
우리는 그것을 더 나아지게 할 것이 있었다.

우리말과 뜻이 통하도록 네모 안에 들어 있는 말을 바르게 배열해 보세요.

1. 너는 파티에 가져갈 것이 있다.

bring 가져가다	have something to ~할 것이 있다	you 너	to the party 파티에

You have someting to -- .

2. 나는 시험을 위해 외울 것이 있다.

memorize 외우다	have something to ~할 것이 있다	for the exam 시험을 위해	I 나

-- .

3. 우리는 핼러윈을 위해 만들 것이 있다.

for Halloween 핼러윈을 위해	make 만들다	have something to ~할 것이 있다	we 우리

-- .

4. 내 어머니는 벽에 걸어 둘 것이 있었다.

my mother 내 어머니	hang 걸어 두다	had something to ~할 것이 있었다	on the wall 벽에

-- .

5. 그녀는 불평할 것이 있었다.

complain about 불평하다	had something to ~할 것이 있었다	she 그녀

-- .

ANSWERS

Part 1

Vocabulary Quiz

1.

f a f n s q k z h z u
w r a x u f r n l m y
t y l f w o o d s r e
o p l d d e z f o p l
p k s a q q f s x b l
d j b c u f o n t m o
h c h i p m u n k p w
a d k z c u a w s g n
n w b r o w n v i k t
r f e z k e g u v z q
t r e e r s e s r e d

2.

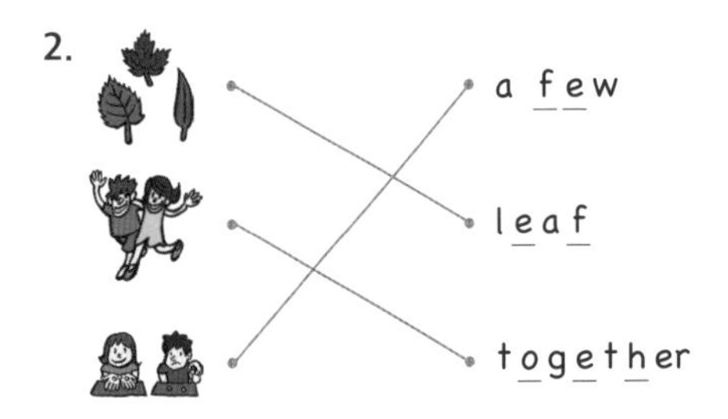

3. orange / woods / count / ground
south / wind / fly / watch

Wrap-up Quiz

1. b ···› a ···› c ···› d
2. 1) c 2) a 3) b
3. 1) T 2) F 3) F

Pattern Drill

1. I love running in the park.
2. They like playing with puppies.
3. My mother liked gardening.
4. We loved riding bicycles.

Part 2

Vocabulary Quiz

1.

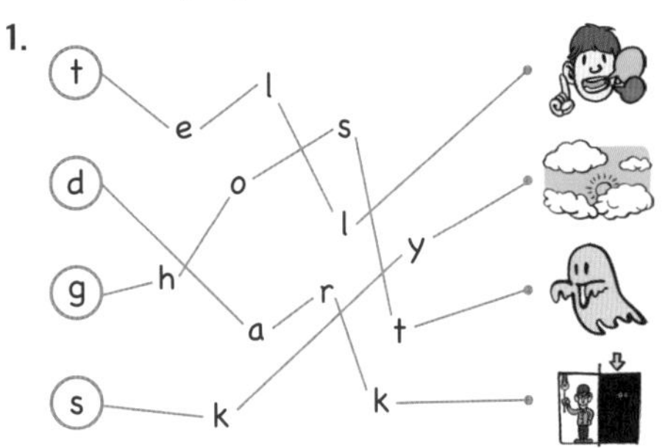

2. jack-o'-lantern / make / scare / candle
paper / story / dress up / witch

3.

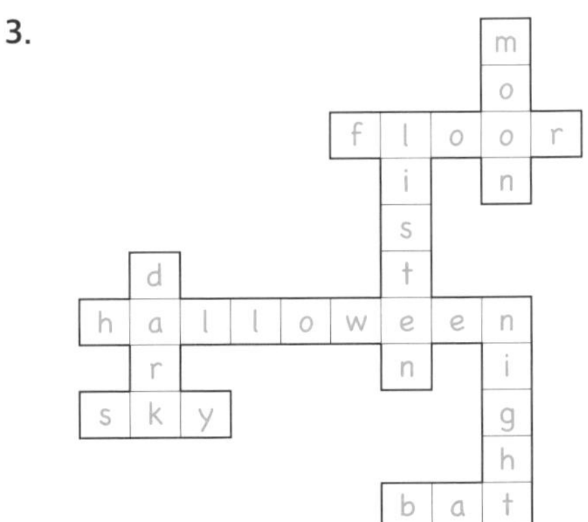

Wrap-up Quiz

1. d ···› b ···› c ···› a
2. 1) c 2) a 3) c
3. 1) T 2) F 3) F

Pattern Drill

1. I was afraid to stay alone at home.
2. Some children are afraid to admit their mistakes.
3. My friends and I are afraid of dogs.
4. My mother was afraid of spiders.
5. She was afraid to go down to the basement.

Part 3

Vocabulary Quiz

1

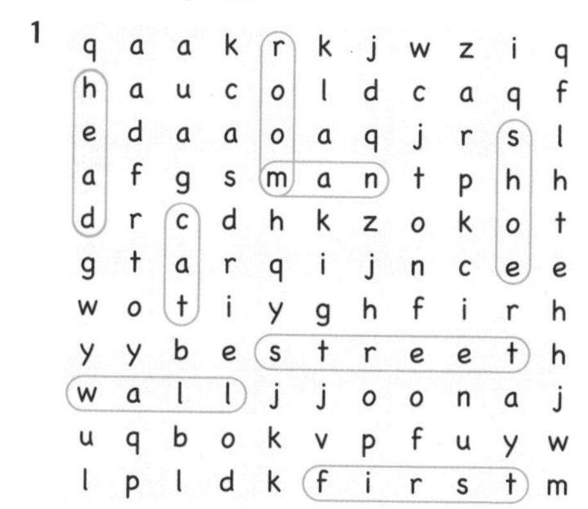

2.

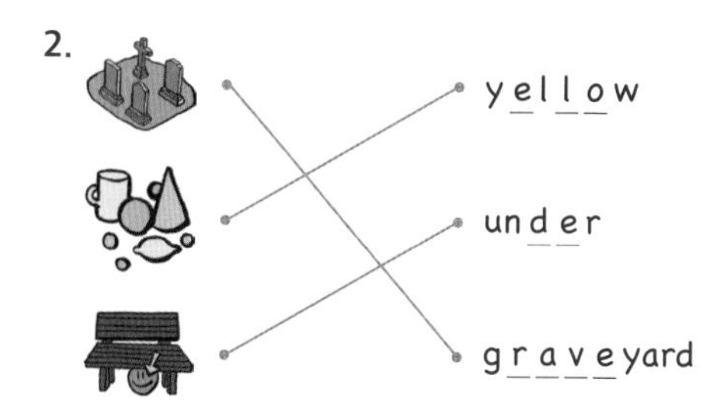

3. street / moon / walk / whole
foot / body / breath / tap

Wrap-up Quiz

1. a ···› d ···› c ···› b
2. 1) a 2) c 3) a
3. 1) F 2) T 3) T

Pattern Drill

1. Your mother looked for you yesterday.
2. He looked for a Halloween costume.
3. The children look for snacks.
4. The girl looked for her glasses.
5. They look for pretty flowers in the yard.

Part 4

Vocabulary Quiz

1.

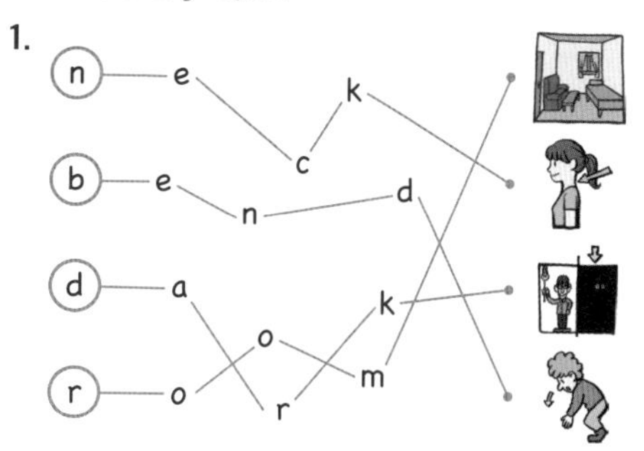

2. chatter / arm / room / click
mother / chair / poor / rock

3.

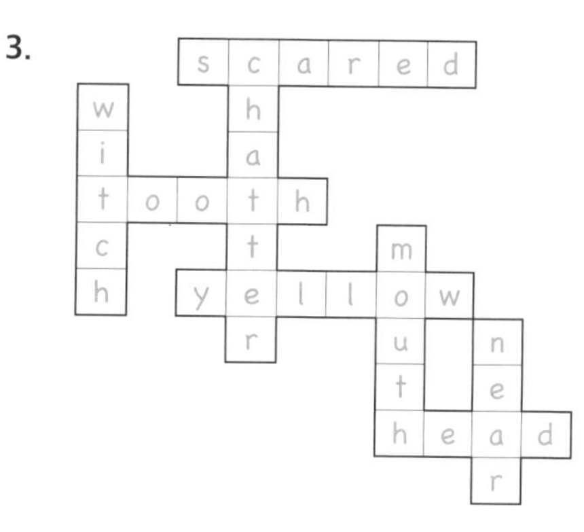

Wrap-up Quiz

1. c ···› d ···› b ···› a
2. 1) a 2) c 3) b
3. 1) F 2) F 3) F

Pattern Drill

1. Elephants are scared of ants.
2. Henry was scared of ghosts.
3. My dog was scared of thunder.
4. They are scared of horror movies.
5. I am scared of dark places.

ANSWERS

Part 5

Vocabulary Quiz

1.

w	j	x	h	b	i	m	q	e	a	t
i	j	j	o	j	m	n	k	w	f	a
s	x	h	m	l	w	a	i	y	m	z
h	y	y	e	r	k	t	t	m	g	l
b	x	k	y	c	q	x	c	g	o	z
y	z	s	t	a	y	z	h	p	n	f
m	m	e	h	c	d	h	e	h	u	a
l	t	a	l	k	u	b	n	f	i	t
s	i	f	w	m	w	q	o	y	x	h
p	g	i	q	j	b	z	a	o	z	e
p	h	o	g	u	g	l	v	w	z	r

2.

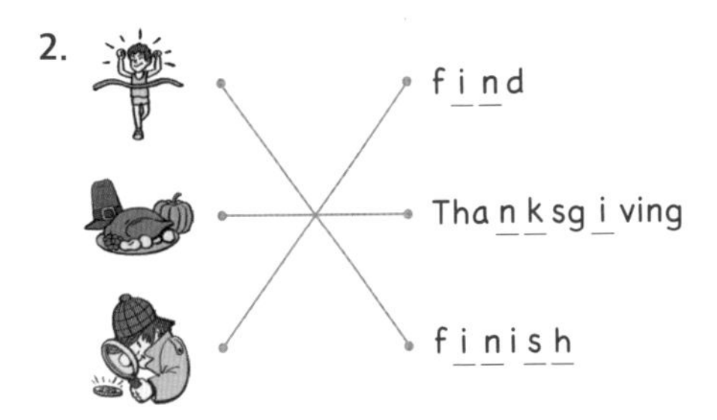

3. aunt / hate / what / much
house / with / backyard / talk

Wrap-up Quiz

1. d ··· c ··· a ··· b
2. 1) b 2) a 3) b
3. 1) T 2) F 3) F

Pattern Drill

1. I brushed my teeth after breakfast.
2. We played basketball after school.
3. My friend got a present before Christmas.
4. He warmed up before the workout.
5. We went to the station after an hour.

Part 6

Vocabulary Quiz

1.

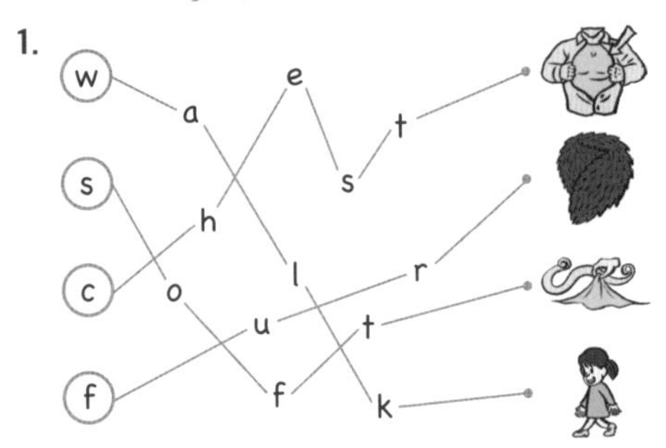

2. back / mouth / cracker / ask
eye / want / manners / different

3.

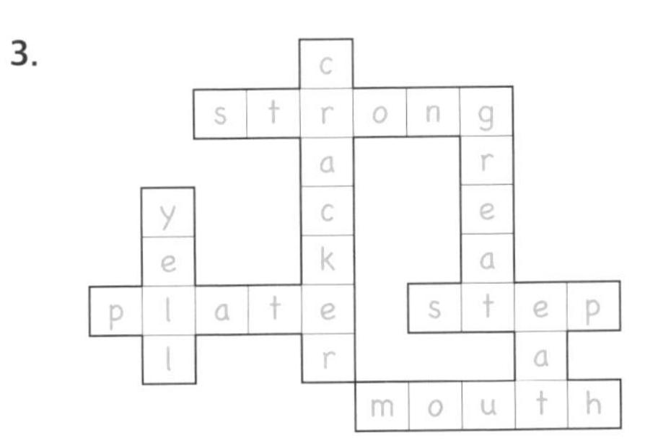

Wrap-up Quiz

1. a ··· c ··· b ··· d
2. 1) b 2) a 3) c
3. 1) F 2) T 3) T

Pattern Drill

1. You have something to bring to the party.
2. I have something to memorize for the exam.
3. We have something to make for Halloween.
4. My mother had something to hang on the wall.
5. She had something to complain about.